가을 마음 여행

박정은 수녀와 함께하는
9월-11월의 주간 명상 가이드

차례

가을에 떠나는
마음의 여행을 시작하며

길고 긴 장마가 끝나고, 이제 뜨거운 여름인 줄 알았는데, 어느덧 서늘한 기운이 느껴지는 바람을 한두 자락 만나기라도 하면, 아 가을이 오는가 하고 가던 길을 멈춥니다. 거리에다 열기를 메다 꽂으며 아스팔트까지도 녹일 것 같던 여름의 무성한 햇빛이 점점 부드러워지면, 이른 오후에 나의 그림자는 외롭게 걷는 길 곁에 길게 드러누울 것입니다. 여기저기서 들리는 우울한 이상 기후 소식을 배경으로 매일 또 같은 일상이라고 체념하다가, 고개 숙이고 길을 걷다 우연히 올려다본 하늘이 높고 푸를 때, 작년에 옷장에 접어 넣은 아끼는 스웨터를 꺼내야겠다고 생각할 즈음, 우리는 그 때를 가을이라고 부릅니다.

  가을을 좋아하는 사람은 참 많습니다. 릴케는 〈가을날〉이라는 시에서 "주여, 때가 왔습니다. 여름은 참으로 위대했습니다"[1]라고 고백하며, 이제 나약한 그래서 집이 없는 사람은 더 이상 집을 짓지 않고 그저 깨어 있으면서, 읽고, 긴 편지를 쓸 것이며 낙

엽이 질 때면 가로수길을 이리저리 소요할 것이라고 했습니다. 릴케의 가을은 마치 방황을 선포하는 것처럼 들리는데, 그래도 이 시가 그토록 제 마음을 두드리는 건, 이제 집이 없는 사람은 더 이상 집을 지으려 하지 않는다는 것, 그저 빈손으로 생을 요약할 것이라는 간단하고 아름다운 삶의 태도 때문인 것 같습니다. 긴 편지는커녕 짧은 편지도 쓴 지 오래이고, 내가 휘갈긴 메모도 어떨 때는 잘 알아보지 못하는 요즈음이라 더 이 구절이 마음에 남는지도 모르겠습니다. 그래서인지, 이 즈음이면, SNS를 통해 참 아름다운 사람이라는 것 정도를 알아차린 누군가에게 정성껏, 당신의 삶이 참 아름답다고 손편지를 쓰고 싶습니다. 물론 이 편지는 부치지 않을 것입니다만….

또 가을날에 저도 모르게 읊조리는 시는 김현승의 〈가을의 기도〉입니다. "가을에는 기도하게 하소서… 낙엽들이 지는 때를 기다려 내게 주신 겸허한 모국어로 나를 채우소서."로 시작하는 이 시를 떠올리면, 고교 시절 매일 등교길에 시를 적어 외우던 시내버스의 기름 냄새, 그리고 그 덜컹거림이 흠씬 향수로 다가옵니다. "겸허한 모국어"라는 이 단정하고 따스한 단어가 미국의 한 구석에서 20년을 넘게 살아온 제게 알싸한 그리움을 던져줍니다.

가을에 떠오르는 예술가는 누가 있을까요. 먼저 조르주 루오가 생각납니다. 그는 자신의 화실을 '가을의 방'이라 이름 붙이

5

고, 깊은 가을 속, 슬픈 시대 속에서 자신의 예술을 살아갔습니다. 또 제가 제일 좋아하는 카미유 피사로는 그 정감어린 따스한 시선으로 어느 시골의 가을 풍경, 사과를 따고, 추수를 하는 가난한 풍경 속으로 매일 뛰어나가 많은 그림을 그렸다는데, 그의 그림을 보고 있으면 마음이 따스해집니다.

저의 철없는 상상 속 하늘나라는 여러 계절이 있고, 그중 자기가 원하는 계절을 사는 곳입니다. 저는 언제나 11월의 회색빛이 물씬 풍기는 가을을 선택했습니다. 조금은 허탈하고 을씨년스러운 늦가을은 제게 언제나 가장 아름다운 계절입니다. 해 질 무렵, 장작 타는 냄새가 나고 어둠이 내리는 늦가을 말입니다.

가을은 여러 가지 얼굴을 가지고 있습니다. 여름에서 가을로 넘어가는, 그래서 아직은 여름인 듯, 그러면서도 시간의 흐름을 인정할 수밖에 없는 9월은, 달콤하고 까만 포도송이를 즐기다가, 무심코 몇 장 남지 않은 달력을 보며 마음이 서늘해지는 계절입니다.

가을의 한가운데에는 찬란한 10월이 있습니다. 곱게 물든 나뭇잎들, 그리고 꽃을 떨구고 맺은 열매가 더욱 단맛을 품는 계절입니다. 깨끗하게 빨아 널은 빨래가 햇빛 아래 반짝이며 말라가듯이, 바람에 너울너울 춤을 추듯이, 삶은 그렇게 찬란하게 말라가는 것이고, 또 춤추듯 살아가는 것이라고 가르쳐 주는 친절한 시간들입니다. 이때가 되면 어느 것 하나 아름답지 않은 것이 없습니다. 넉넉한 들판, 그리고 서서히 말라가는 대지… 이 즈음이면, 내 인생의 열매들을 생각해 보게 됩니다. 나는 이 세상을 살아가는 동안, 어떤 것을 위해 달렸고, 수고했는가 하는 생각들을 떠올리게 됩니다.

서글프리만큼 처연하게 아름다운 달 11월에는 이제 가을을 마감합니다. 하루 종일, 뚝뚝 떨어지는 나뭇잎을 보며 죽음과 영원을 생각하게 됩니다. 한번쯤 누군가에게 혹은 무언가를 위해서다 내어주어 본 적이 있느냐고 말을 건네며 하늘 향해 우뚝 서 있는 나무들을 보며, 생과 사랑을 돌아봅니다. 그리고 죽음이라는, 누구나 걸어가는 그 길을 바라봅니다.

영적 수업이란 매 순간을 흘려보내지 않고 머무는 것, 그래서 일상 속에 숨겨진 영원의 뒷모습을 살짝 살짝 만나는, 혹은 그 맛을 알아 가는 작업입니다. 그래서 이 작은 책은, 가을이라는 감동적인 시간의 축복을 하나 가득 누리고 픈 사람이면 누구나 시도해 볼 수 있는 작은 명상 안내서입니다.

이 책은 매달 들어가는 글로 시작해서, 한 주간에 실천할 작업을 주별로 소개합니다. 각 주간마다 작업 주제를 선정하고, 그 주제에 대해 깊이 명상할 수 있는 작업을 실었습니다. 내면의 공간을 찾아, 매일매일 할 수도 있고, 여유가 없다면 한 주에 한 번만 해도 좋습니다. 그것도 아니면 그저 마음에 드는 부분을 펼쳐 거기 머물며 질문에 답변을 해 보아도 좋을 것입니다.

그러니 이제 마음에 드는 노트와 좋아하는 펜을 준비하시고, 이 가을에 떠나는 내면 여행의 소중한 기억들을 적어 두세요. 이는 나를 만나는 소재를 제공해 줄 것입니다. 어떤 리듬이 되었든, 나만의 내적 공간에서 깊은 나 그리고 기쁜 가을을 만나시기를 바랍니다!

2020년 8월

박정은

9월

아직은 여름이라고, 혹은 올해는 긴 장마로 여름이 제대로 온 적도 없다고 우기고 싶은 9월입니다. 이제 달랑 석 달 남은 달력을 보면 조급한 마음마저 듭니다. 돌아보면 코로나 바이러스로 급속히 달라져 가는 일상에서 우리는 당황해하고, 불안하고, 지루하기도 했습니다. 우리 주변에 크고 작은 일들이 많았고, 마스크 쓰기와 사회적 거리 두기는 우리 겉모습뿐 아니라, 내면의 공간에도 변화를 일으켰습니다. 그림을 배우는 사람들, 글쓰기를 하는 사람들, 좀 더 체계적인 책 읽기를 시작하는 사람들도 많아졌고, 창의적인 여러 가지 소통 방법들도 생겨났습니다. 어쩌면 이 모든 것들은 우리 내면의 깊은 곳으로 가라는, 생이 보내온 초대가 아닐까 생각해 봅니다. 그래서 이번 9월은 나만의 내적 공간을 만들고 그 공간과 친밀해지는 시간, 또 사회나 문화가 규정하는 내가 아니라 내 마음속의 나와 좀 더 친밀해지는 시도를 해 보는 한 달이 될 것입니다.

첫째 주: 내적 공간 만들기

이 명상은 내 마음의 공간을 만들어 보는 작업입니다. 집안에 넉넉한 자리가 없어도 괜찮습니다. 상상을 통해 그 곳으로 갈 수 있고, 혹은 집안의 어느 조그만 공간에 금을 긋거나 초를 켜 둠으로써 실재적인 공간을 만들 수 있습니다. 이 모든 작업은 나만의 내적인 공간을 만들어 가는 데 그 의미가 있습니다. 앞으로 모든 명상은 이 내면의 공간에서 진행됩니다。

명상

(눈을 감고 상상을 합니다.)

아무 약속도 없는 조용한 날을 상상해 봅니다. 나는 집을 나섰습니다. 상상 속에서 당신의 시간은 아침입니까? 아니면 해가 좋은 정오입니까? 아니면 해가 어둑어둑 지는 저녁입니까? 또 어떤 계절입니까? 잎이 파릇한 봄날입니까? 아니면, 녹음이 우거진 여름, 혹은 가을날입니까? 혹은 눈이 오거나 매서운 바람이 부는 겨울날입니까? 어떤 향기가 나는지, 나는 어떤 기분인지 살펴봅니다.

한참을 걸어가다, 나는 기차를 탑니다. 편안해 보이는 한 좌석을 골라 앉았습니다. 옆에 다른 사람들이 있습니까? 아니면 혼자입니까? 이 기차는 천천히 가고 있습니까? 아니면 빨리 달리고 있습니까? 차창 밖으로 보이는 장면은 무엇입니까? 창밖으로 어떤 사람이 보입니까? 어떤 느낌이 듭니까? 어떤 향기가 납니까?

이제 기차가 조그만 간이역에 섰습니다. 플랫폼을 지나 역사를 빠져 나갑니다. 저만치 오솔길이 나 있고, 그 길을 따라가니 숲이 나옵니다. 숲길을 걸어 갑니다. 어떤 나무들이 보입니까? 하늘은 보입니까? 바람 소리 혹은 새소리가 들립니까? 이 숲은 지금 어떤 계절입니까? 따스한 봄입니까 아니면 여름의 숲입니까? 혹은 촉촉하게 비가 내립니까? 그도 아니면 눈이 덮인 숲입니까? 숲을 둘러보고, 나무들을 살펴봅니다. 침묵 속에서 나에게 말을 건네는 나무 혹은 내 눈에 들어오는 나무에게 다가갑니다. 어떤 나무입니까? 커다란 나무입니까 아니면 가늘고 어린 나무입니까? 잎이 무성합니까 아니면 잎이 없는 나무입니까? 어떤 결이 느껴지는지 상상 속에서 만져봅니다. 그리고 그 나무에 기대거나 나무를 힘껏 안아봅니다.

이 나무에게 인사합니다. 나무가 나에게 무슨 말을 하는지 들어 봅니다. 그렇게 잠시 대화를 나눕니다. 그리고 나무에게 인사를 하고 다시 숲으로 왔던 길을 되돌아갑니다. 오솔길을 따라 갑니다. 그리고 작은 역에서 기차를 타고, 다시 돌아옵니다. 다시 익숙한 동네의 길이 나옵니다. 천천히 집에 들어갑니다.

나무는 하늘과 땅, 그리고 인간을 이어주는 상징으로, 세상의 축Axis Mundi이라고 부릅니다. 이 나무와 함께 만들어 가는 내적 공간은 우리에게 안정감을 제공하고, 나의 내면을 만나는 기회를 제공할 것입니다. 이번 주에는 자주 그 곳에 들러, 나무에게 무슨 말이든지 하고 싶은 말을 해 보세요. 그리고 나무로부터 들은 지혜로운 말을 적어 보십시오.

둘째 주: 내가 살던 동네

이 주간에는 내가 태어나서 살아 온 장소를 여섯 군데 정해 하루씩 생각해 봅니다. 내 안에는 내가 생각하는 나보다 더 많은 사람들이 살고 있습니다. 왜냐하면 내가 만난 사람들, 사건들 혹은 주변 환경을 통해 들어 온 많은 의미들이 내 안에 존재하기 때문입니다. 매일 내가 만든 내적 공간에서 그 장소들로 돌아가 봅니다. 그리고 내가 살던 동네, 그리고 그곳에 놓여진 나는 어떠했는지, 자신의 조각들을 찾아 기록해 봅니다。

명상

그 동네에서 가장 기억에 남는 장소가 있다면, 그곳은 어디이며 왜 특별히 기억납니까? 그곳의 풍경은 어떻습니까? 그곳에 살던 나의 모습을 그려 봅니다. 동네 길을 걷고 있는 나를 바라봅니다. 나는 몇 살입니까? 어떤 옷을 입었고, 어떤 표정입니까? 어떤 날의 나를 기억하십니까?

이때 떠오르는 장면이 있으면 그 장면에 머무릅니다. 그리고 그때 내 삶의 여정에서 나는 누구를 만났고, 나의 꿈은 무엇이었는지, 그 꿈은 지금 어떻게 되었는지도 생각해 봅니다. 그리고 그때 난 무엇을 좋아했는지,

또 어떤 누군가를 좋아했었는지도 생각해 봅니다. 그때가 내게 어려운 시절이었다면, 그 시절 나는 무엇을 배웠는지 생각해 봅니다. 혹시 힘든 기억이 올라오면, 내 상상의 나무에 기대어, 나무에게 이야기해 주면서, 나무가 나에게 무슨 이야기를 들려주는지 들어봅니다. 그리고 마지막 날에는 적어 놓은 노트를 읽어보고, 현재의 내가 지난 시간들 속의 나 자신에게 해주고 싶은 이야기가 있다면, 그 메시지를 적어 봅니다.

이 명상은 자신의 삶을 돌아보는 작업입니다. 앞에서 언급했듯이, 우리는 만나는 사람들과의 관계를 통해 형성되어 갑니다. 하지만, 그 의미는 언제나 다를 수 있습니다. 그래서 내적 여정은 언제나 현재진행형이며, 마치 땅 속에 묻힌 보물을 캐듯, 찾아내면 찾아낼수록 그 빛을 발합니다. 그래서 추억 속에, 어느 숨겨진 반짝이는 의미를 찾을수록 우리의 생은 기쁨으로 넉넉해진다고 믿습니다.

셋째 주: 나는 누구에게 유명한가?

팔레스타인 출신의 시인, 나오미 쉬하브 나이Naomi Shihab Nye는 친절하고 유머 넘치는 시를 씁니다. 제가 이 시인을 좋아하는 이유는 그가 적어 놓은 세상이 따스하고 친절하기 때문입니다. 제가 가장 좋아하는 그의 시는 〈유명하다Famous〉²는 시입니다. 초등학교 어린이들에게 시 쓰는 마음에 대해 가르치는 걸 즐겨 하던 이 시인이 미국 어느 시골 초등학교에 갔는데, 아이들은 그에게 당신은 유명한 사람이냐고 물었고, 그는 아니라며 나는 너희들에게 유명한 사람이고 싶다고 이야기한 후, 나중에 집으로 돌아가 이 시를 썼다고 합니다.

> 강물은 물고기에게 유명합니다.
>
> …
>
> 담장 위에서 잠을 자는 고양이는
> 새집에서 그를 주시하는 새들에게 유명합니다.
>
> …
>
> 장화는 바다에게만 유명한 구두보다
> 대지에게 훨씬 더 유명합니다.

구겨진 사진은 가지고 다니는 사람에게 유명합니다. 그리고 그 사진은 사진이 찍힌 사람에게는 전혀 유명하지 않습니다.

나는 웃음 지으며 춤추듯 길을 건너는 사람들에게,
식료품 가게에 줄 선 꼬질꼬질한 아이들에게.
웃어주는 사람으로 유명하고 싶습니다.

나는 고패나 단춧구멍이 유명한 것처럼
유명해지고 싶은데,
이것들이 어떤 특별한 위대한 일을 해서가 아니라
할 수 있는 것이 무엇인지를 결코 잊지 않기 때문입니다.

우리는 유명하다고 하면, '무엇으로 유명하다famous for'를 생각합니다. 학교 영어 시험에는 '유명하다' 뒤에 오는 전치사를 묻는 문제가 자주 출제되곤 해서였을까요? 그래서 우리는 똑똑해서, 아름다워서, 돈이 많아서 유명해지는 것을 상상합니다. 그런데, 누구에게 유명하고 싶은 것인지는 잘 생각하지 않습니다. 어쩌면, '무엇으로'보다는 '누구에게' 유명한지가 더 내 삶을 풍요하게 할지도 모릅니다. 예를 들어, 노숙인들에게 샌드위치를 만들어 주는 식당이나 집을 잃은 아이들과 저녁을 함께 먹는 보호소에서 만나는 그 어떤 누군가에게 유명해지는 것이, 그저 난 유명한 사람이라는 막연한 뿌듯함보다는 훨씬 삶의 질을 풍성하게 할 것 같습니다. 그래서 이 시인은 가슴에 오래도록 품고

17

다녀서, 혹은 지갑 속에 너무 오래 가지고 있어서, 여기저기 구겨진 사진은 그 사진을 품고 다니는 사람에게 아주 유명한 거라고 이야기합니다. 내가 매일 들여다보는 어머니의 사진은 저에게 유명하지만, 어머니에겐 아닐 겁니다. 그 사진 속의 어머니는 아버지와 함께 제가 다니던 중학교를 방문하셨고, 매우 만족해 보입니다. 이 사진 속 어느 젊은날의 어머니는 제게 아주 유명합니다.

나는 누구에게 유명한 사람으로 살아왔을까요? 최소한 내가 사랑하는 가족, 친구, 그리고 또 내일 길에서 마주치는 이웃에게 나는 무엇으로 유명할까요? 깔깔거리는 웃음, 무언가 늘 마음 써주는 섬세한 친절, 그 어떤 것으로 유명할까요? 또 난 어떤 것으로 유명하고 싶은 걸까요?

무엇으로 유명하고 싶은지를 굳이 따져 보자면, 이 시인은 동네 구멍가게에서 자주 만나는 꼬마와 미소를 주고받는 것으로 아주 잘 알려지고 싶다고 이야기합니다. 옆집 사는 세 살배기 동네 꼬마에게, 제가 늘 환한 웃음을 주는 것으로 유명할 수 있다면, 그 인생은 아주 실패한 인생은 아닐 것 같습니다. 저는 제가 가르치는 학생들에게 강의를 깊이 있게 잘하는 교수로 알려지기보다는, 그들을 아끼고 사랑하는 교수로 알려지고 싶습니다. 오래 알아 온 친구들에게는 늙으면서 점점 어질고 선량해지는 것으로 유명하고 싶습니다.

그리고 무엇보다 정다운 사람으로 유명해지고 싶습니다. 그리고 더 욕심을 부려 보자면, 이 명성은 소소한 것임에도 불구하고 아주 요긴한 것이었으면 합니다. 시인은 단춧구멍이나 고패(깃대 따위의 높은 곳에 기나 물건을 달아 올리고 내리는 줄을 고정하는 작은 고리)처럼 자기를 잘 지킴으로 유명해지고 싶다고 말합니다. 저는 이 시인의 아이 같은 마음과 표현에 감동을 받는데, 사실 어떤 옷에 단춧구멍이 없다면, 단추가 없는 것보다 훨씬 총체적인 난국이 될 것입니다. 또 고패가 없다면, 배는 멋진 모습으로 출항할 수 없을 것 입니다. 여기서 핵심은 이것들이 작은 것이라는 데 있습니다. 내가 지닌 사소함과 깊이 악수하는 일은 어쩌면 우주의 한 점으로 살아가고 있는 내가, 이 세상을 겸손하고 당당하게 살아가는 첫 걸음일 것입니다.

이런 종류의 유명함은 우리의 삶의 결을 단단하게 해 주어, 아래로 추락할 이유도 없고, 누구와 경쟁할 필요도 없습니다. 또 자기 중심의 화려한 내면을 조금은 조촐하고 그래서 단아한 영혼으로 바꾸어 가게 할 것입니다.

명상

이번 주는 나의 내면의 장소로 가서, 매일 이 시를 읽어 봅니다. 그리고 나는 누구에게 어떻게 유명해지고 싶은지를 생각해 보고, 노트에 기록합니다.

첫째 날

가족 중 떠오르는 한 사람을 택합니다. 그리고 왜 그 사람을 선택했는지 적어봅니다. 나와는 어떤 관계인지를 적어 봅니다. 나는 그 사람에게 무엇으로 유명해지고 싶습니까?

둘째 날

친구나 지인 중 떠오르는 한 사람을 택합니다. 왜 그 사람을 선택했습니까? 그 사람은 나에게 어떤 의미를 주는 사람입니까? 그리고 나는 그 사람에게 무엇으로 유명하며, 또 무엇으로 유명해지고 싶습니까?

셋째 날

함께 일하는 동료, 직장 상사, 선배, 혹은 후배 중 떠오르는 한 사람을 선택합니다. 그 사람은 어떤 사람이고, 나와의 관계에서는 어떤 사람입니까? 나는 그 사람에게 무엇으로 알려져 있을까요? 또 앞으로 무엇으로 잘 알려지고 싶습니까?

넷째 날

동호회에서 떠오르는 한 사람을 선택합니다. 그 사람은 나와 친분이 있는 사람입니까? 혹은 그저 가끔 만나는 사람입니까? 왜 그 사람을 선택했습니까? 그 사람에게 나는 무엇으로 알려져 있을 것 같습니까? 그 사람에게 무엇으로 유명해지고 싶습니까?

다섯째 날

내가 좋아하지 않는 사람을 한 사람 택합니다. 왜 그 사람을 나는 좋아하지 않습니까? 그 사람에게 나는 무엇으로 유명해지고 싶습니까?

여섯째 날

나를 좋아하지 않는 사람을 한 사람 택합니다. 그 사람은 왜 나를 좋아하지 않는 것 같습니까? 그 사람에게 나는 무엇으로 유명해지고 싶습니까?

일곱째 날

6일간의 기록을 읽어보고 다시 한 번 내가 유명해지고 싶은 사람들, 그리고 내가 누군가에게 단춧구멍처럼 꼭 필요한 때 있어주는 그런 사람일 수 있는지, 그리고 또 내게 그런 사람은 누구였는지, 떠오르는 대로 노트에 정리해 봅니다.

그리고 아래 질문에 답해 보십시오.

나의 신발은 누구에게 유명합니까?
나의 손가락은 누구에게 유명합니까?
나는 동네 고양이들에게 무엇으로 유명합니까?
길가에 피어난 이름없는 들꽃에게 나는 무엇으로 유명

합니까?

그리고 결정적으로, 이 밑줄을 채워보세요.

나는 _____에게 _____으로 유명해지고 싶습니다.

넷째 주: 내 영혼이 바라는 대로 살아보기

하루하루 가을빛이 다가올 때, 내 영혼은 얼마나 익어 가고 있는지 성찰해 볼 시간입니다. 매일 내 마음을 들여다보는 일은, 언제나 어디서나 해야 하는 일이겠지만, 특히 이번 한 주간, 내 영혼이 더 싱싱하고, 더 깊어질 수 있도록 여러 가지 덕목을 정해 놓고 바라보도록 합니다. 각자 하루에 한 가지를 정하거나 한 주 동안 한 가지의 습관을 정해서 계속 관찰하는 것입니다.

나는 언제 어떤 상황에서 이 습관을 실천하기가 힘든지, 또 언제 성공적으로 이 방식을 수행했는지 점검해 봅니다. 이는 그리스도교 영성에서 의식 성찰이라고 부르는 보물 같은 영성 수련 방법입니다. 내 의식이 어떻게 흘러가는지를 관찰하는 이 작업은, 아침에 주제를 마음에 각인하고, 점심 시간에 다시 한 번 주제를 확인합니다. 그리고 저녁에 하루를 관찰합니다. 마치 영화를 보듯이 나의 하루를 바라보아도 좋고, 오늘 하루 내가 실패한 순간을 자세히 들여다보아도 좋습니다. 이 수련의 중요한 점은, 실패하지 않는 데 있다기보다는 내가 실패할 때 그 사실을 알아차리고, 그런 다음 그 실패가 어떤 행동이나 마음으로 이어지는지 보는 일입니다. 실천을 잘 했다면, 감사한 마음으로 자신을 더욱 사랑스럽게 지켜보도록 합니다.

이번 주에 매일 실천할 유익한 덕목들을 소개하겠습니다.

첫째 날: 화내지 않기

아침에 일어나서 오늘은 내가 화내지 않는 하루라는 것을 확인합니다.

점심 시간에 식사하러 가면서, 혹은 점심을 준비하면서, 아침부터 지금까지의 내 생활을 돌아봅니다. 언제 화를 내었는지, 누구에게 화를 내었는지를 생각합니다. 피곤해서 화가 났는지, 내가 화를 내는 대상은 어떤 특징을 가지고 있는 지, 나의 화는 어떻게 표현되었는지 생각해 봅니다. 또 그 화는 본질적으로 어디서 오는지도 살펴봅니다.

저녁에는 오후부터 지금까지 나는 얼마나 화를 내었고, 그 화는 누구에게서 오는지, 혹은 누구에게로 표현되는지, 또 그 표현이 적절한지, 화를 낸 후 나는 어떤 반응을 하는지 살핍니다. 그리고 오늘 발견한 것, 예를 들어, 나는 집중적으로 한 사람에게 화를 낸다거나, 화를 내는 방법이 적절치 못하다거나, 지나치게 흥분을 한다거나 하는 것들을 적어 봅니다.

둘째 날: 작은 친절을 베풀기

아침에 일어나서 오늘의 결심을 떠올립니다. 작은 친절을 베풀 기회를 찾아 노력합니다. 점심 시간에는, 아침부터 지금까지 노력한 것을 점검해 봅니다. 나는 누구에게 친절을 베풀었습니까? 상대방의 반응은 어떠했습니까? 친절을 베풀 때 어떤 느낌이 들었습니까? 또 작은 친절을 베풀지 못했다면 왜 그렇게 하지 못했습니까? 남의 필요에 둔감해서입니까? 아니면 나의 소심한 성격 때문입니까? 무엇이어도 좋습니다. 그리고 저녁에는 오늘 하루 내가 베푼 작은 친절과 베풀지 못한 친절들을 생각해 봅니다. 친절을 베풀 때 나는 얼마나 또 어떻게 행복했는지, 그리고 놓친 순간들을 성찰하면서, 내가 가진 어떤 특성들을 찾아봅니다. 그리고 오늘 발견한 자신의 모습에 대해 정리합니다.

셋째 날: 미소 지어주기

만나는 누구에게든지, 내가 보낼 수 있는 가장 환한 미소를 지어준다는 오늘의 과제를 기억합니다. 혹시 기억을 못 할 수도 있으므로, 기억을 환기할 수 있도록 핸드폰에 적어 둔다든지, 책상에 포스트잇을 붙여 놓는 것도 좋은 방법입니다. 점심 식사를 하러 갈 때 혹은 점심을 준비하면서, 눈을 뜨고부터 지금까지, 나는 얼마나 많이 미소를 지었고, 또 언제 찡그렸는지 생각해 봅니다. 이것은 내가 실패했거나 성공했는가를 살펴보는 시간이 아니고, 나는 어떤 상황에서 날카로워지는지, 비판적이 되는지, 각자 개인의 특성과 경향을 알아가는 데 의미가 있습니다.

저녁에는 오후부터의 나의 모습을 돌아봅니다. 저절로 미소가 지어지는 순간은 주로 언제입니까? 내가 이 주제를 떠올리며 억지로라도 웃음을 지으려 한 사람은

25

누구이고, 어떤 상황에서였습니까? 또 미소를 지을 때, 나의 기분이나 느낌은 어떠했습니까? 미소가 익숙하지 않을 것 같은 사람에게 미소를 지을 때, 그 사람의 반응은 어떠했습니까? 오늘 하루의 느낌과 나에 대한 발견을 노트에 적어 봅니다.

넷째 날: 솔직하기

아침에 눈을 뜨면서, 오늘은 정직하게 살아 보기로 결심합니다. 습관적으로 우리는 크고 작은 거짓말을 합니다. 갈등이 일어나는 것이 싫어서, 혹은 무심코 상대방이 불편할까 봐 거짓말을 합니다. 어쩌면 우리는 적극적으로 거짓말을 하기보다는 간접적으로 진실을 말하거나 대면하지 않음으로써 정직하게 살지 못하는지 모릅니다. 아주 작은 일, 예를 들어, 물건을 살 때 거스름돈을 더 받았을 때처럼 치사하리만큼 작은 일에 나는 어떻게 반응하는 경향이 있습니까? 혹은 정당하지 않은 수입을 너무 당연한 것으로 여지지는 않습니까? 이런 저런 나의 경향을 하루 동안 관찰해 봅니다. 이 부분에 대해 좀 더 자세하게 살펴보고 싶은 사람들은, 시간을 미세하게 나누어서, 열 시, 열두 시, 네 시, 여섯 시, 그리고 잠들기 전 이렇게 네 번 성찰해 봅니다.

하루를 돌아보면서, 나는 아무리 작은 것이라도, 왜 거짓말을 하는지 정리합니다. 막연하게, 두려워서, 혹은 문제를 일으키고 싶지 않아서 덮어 두는 성향이 있다면, 이런 경향은 누구로부터 온 것인지, 또 나는 이 성향을 어찌 하고 싶은지 꼼꼼히 적어 봅니다. 물론 어떤 것도 단순히 좋고 나쁨의 문제가 아니며, 나의 내면의 지도를 만든다고 생각하면서 정리하는 것이 중요합니다.

다섯째 날: 미안하다고 말하기

정말 미안할 때는 미안하다는 말을 못하면서 가볍고 사과하지 않아도 되는 문제는 사과를 잘 한다든지, 무턱대고 사과하는 과정을 통과하면서, 대신 내가 잘못한 상대가 용서해 주었나 눈치를 보며 전전긍긍할 때가 있습니다. 또 당장 그 자리에서 사과했으면 별 일 아닐 것을, 사과하지 못해서 마음이 계속 무거웠던 경험들이 있을 것입니다. 사과를 잘 하는 사람이 되고 싶다면 연습을 해야 합니다. 크든 작든 "미안해" 하고 말하는 일은 내 내면이 부드러워지도록 도와줍니다. 또 미안하다는 말을 자주 할 때, 우리는 입장을 바꾸어 다른 사람의 마음을 좀 더 이해할 수 있게 됩니다. 아무리 기계적으로 하는 사과일지라도, 사과를 하려면, 상대방이 속상했거나, 손해를 보았다는 것, 그래서 그 상대방은 어떤 느낌을 느끼고 있는지 헤아려 보게 하기 때문입니다.

아침에 오늘의 주제를 떠올리며, 사과하는 말을 정해 봅니다. 미안합니다. 죄송합니다. 죄송요. 쏘리. 등등 많은 뉘앙스가 있는 표현 중에 내가 가장 말하기 쉬운 표현으로 정합니다. 그리고 출근하는 버스에서, 무언가를 살 때, 또 일을 할 때, 내가 남에게 준 불편에 대해 나는 얼마나 느낄 수 있는지, 그리고 그걸 느낄 때, 나는 바로 사과하는지를 살펴봅니다. 점심 시간에 하루를 살펴봅니다. 그리고 나는 어느 상황에서 혹은 얼마나 자주 미안하다고 하는지, 그때 나의 태도는 진지했는지, 가벼웠는지 돌아봅니다.

그리고 저녁 혹은 밤에 오후 이후의 내 모습을 돌아봅니다. 내가 미안하다는 말을 잘 못 하는 사람이라면, 어디에서 그런 태도가 오는 것인지, 나의 잘못이 알려지면 비난을 받을까 두려워하는 마음에서 오는지, 나이가 많다는 권위 때문에, 자신의 우월감 때문에 이런 상황을 받아들일 수 없는 것인지를 살펴봅니다. 그리고 미안하다는 말을 하지 못하는 나의 모습이 무언가 깊은 내 영혼의 주제와 관련이 있다면 이 말을 하는 훈련을 계속 할 수도 있습니다.

여섯째 날: 잘난 체 안 하기

어떤 사람은 입만 열면 자기 자랑을 합니다. 모든 말들이 다 나의 우월감이어서, 나는 보통 사람들과는 다르게 자랐고, 나는 예민하고, 나는 능력이 많고, 나는 부러울 것이 없는 남편과 자녀들이 있다고 쉴 새 없이 지껄이는 나를 보게 된다면, 나는 내 삶의 무엇이 부족해서 이런 헛소리를 하는지 살펴보아야 합니다. 우리는 누구나 이런 떠벌이 경향이 있지만, 정도가 심해지면, 허언

증으로까지 갑니다. 그래서 나의 과거는 더욱 미화되고, 있지도 않은 사실을 이야기하는 지경까지 갑니다. 점점 사람들은 그런 나를 피곤해하게 될 것이고, 멀어져 갑니다. 공허한 나는 또 내가 만들어 낸 말들을 계속 반복하게 됩니다.

내가 가졌다고 생각했던 삶의 조건들을 더 이상 가지지 못했을 때, 그리고 그 상황을 받아들이지 못할 때 우리는 이렇게 행동합니다. 그런데 이는 외로움을 불러일으키고, 심리적 고립을 더욱 깊어지게 합니다. 나는 특별한 사람인데, 상황이 나를 도와 주지 않은 것이라고 믿기 때문입니다. 또 내가 이야기하는 것이 사실이라도 칭찬이 내 입에 걸리면 쓰레기라는 말처럼, 자기 자랑하는 말은 대개는 듣기 좋지 않습니다.

또 한편, 타인의 자연스러운 이야기에도 짜증이 나거나 얄미워진다면, 왜 그러는지 자신을 살펴보아야 합니다. 성찰 중 내게 거슬린 사람은 누구였는지, 어떤 말을 할 때 듣기 싫었는지도 살펴보면 도움이 됩니다. 다른 이야기는 다 잘 들어 주다가, 외국에서 보낸 시절 이야기를 들으면 거부감이 올라온다면, 또 자식이 좋은 대학에 갔다고 이야기하는 것이 듣기가 힘들면, 나는 왜 유독 이 부분이 싫은지 살펴봅니다.

아침에 일어나서 주제를 생각하고, 점심 때가 되면 오전에 내가 만난 사람과 대화하면서 거슬렸던 부분, 혹은 내가 참지 못하고 자랑한 때와 상황, 나는 왜 자랑을 하고 싶었을까를 생각해 봅니다.

저녁 혹은 밤에, 나는 내면의 어떤 경향으로 인해 자랑을 하거나 남의 자랑에 인색해지는지를 살펴봅니다. 내 안에 깊이 자리한 열등감입니까? 혹은 우월감입니까? 사실 열등감과 우월감은 동전의 양면과 같은 것이며, 그런 나의 경향은 내가 누구인지를 잘 가르쳐 줍니다.

일곱째 날

일주일간의 기록을 모두 읽어 보고, 나에 대해 새롭게 알게 된 부분이 있는 지 살펴보고 기록합니다. 더 깊이 살아보고 싶은 실천 사항은 어떤 것인지, 또 이 실천 사항은 나에게 어떤 중요한 의미가 있다고 생각하는지도 적어 봅니다.

10월

10월은 아름다움의 계절입니다. 이런 때, 우리는 모두 관상가가 됩니다. 관상이란 실재에게 보내는 길고 사랑스러운 시선을 의미합니다. 그러니까 아름다움을 찾고 보는 것, 그 안에 깃든 오랜, 혹은 새로운 사랑을 발견하는 내면의 작업을 의미합니다. 그런 시간에는 누구나 시인이 되고 또 예술가가 됩니다. 길게 바라볼 때, 우리의 시선은 감추어진 것, 그리고 새로운 것을 찾아냅니다. 우리 주변에 존재하는 아름다운 것들, 아름다운 사람들, 그리고 아름다운 나를 찾아가는 일만큼 10월에 어울리는 영적 훈련은 없을 것입니다. 그리고 이 찬란한 10월의 빛 속에서 가만히 손 내미는 그림자를 발견하고 친해지는 일만큼, 부드러워지는 가을에 하기 좋은 영적 수업은 없을 것입니다.

아름다움은 영원한 것을 갈망하게 하고, 우리 안에서 선을 지향하게 하며, 우리 삶에서 살아내고 싶은 가치를 발견하게 도와줍니다. 사회가 혹은 문화가 아름답다고 말하는 것 말고, 내가 숨 쉬고 살아가는 이 흙에서, 그리고 이 하늘에서 발견한 아름다움들은 알알이 내 영혼에 박혀, 우리 인생의 여정을 밝혀 주는 정다운 가로등이 될 것입니다. 수녀원의 창고에 나란히 늘어선 빗자루들도, 사이좋게 걸려 있던 몸뻬 바지들도 다시 보면 너무 아름답습니다. 늙은 아버지가 주름진 목에 와이셔츠 단추를 채우시며 마음에 드는 넥타이를 아주 능숙한 솜씨로 매시던 그 모습은 그리움이 된 아름다움입니다. 동네 꼬마가 눈을 반짝이며 인사하며 내 집으로 들어 설 때, 그 아름다움은 희망입니다. 그래서 그 모든 아름다움을 모아 보면, 사랑한다는 고백이 됩니다.

제가 아주 좋아하던 시인과촌장의 <사랑일기> 라는 노래가 있습니다. 그 가사는 일상의 아름다움을 하나하나 고백하고 있는데, 그 속에 던져진 다정한 시선이 좋아 이 노래를 즐겨 부릅니다.

새벽 공기를 가르며 날으는

새들의 날개 죽지 위에

첫차를 타고 일터로 가는

인부들의 힘센 팔뚝 위에

광장을 차고 오르는 비둘기의

높은 노래 위에

바람 속을 달려나가는

저 아이들의 맑은 눈망울에

'사랑해요'라고 쓴다.

피곤한 얼굴로 돌아오는

나그네의 지친 어깨 위에

시장 어귀에 엄마 품에서

잠든 아가의 마른 이마 위에

골목에서 돌아오시는

내 아버지의 주름진 황혼 위에

아무도 없는 땅에 홀로 서 있는

친구의 굳센 미소 위에

'사랑해요'라고 쓴다.

수없이 밟고 지나는 길에

자라는 민들레 잎사귀에

가고 오지 않는 아름다움에

이름을 부르는 사람들에게

고향으로 돌아가는 소녀의

겨울밤차 유리창에도

끝도 없이 흘러만 가는

저 사람들의 고독한 뒷모습에

'사랑해요'라고 쓴다.

아름다운 달 10월에, 아주 오랜, 혹은 매우 새로운 아름다움을 찾아가 만나며 살

아보기로 합니다.

첫째 주: 아름다운 순간 찾기

이번 한 주는 내 눈에 들어오는 아름다운 사물들을 만나보기로 합니다. 매일 하루에 10분에서 20분씩 산책을 하면서 만나게 되는 사물들을 주목합니다. 어떤 사물이 고유한 아름다움으로 당신에게 말을 건넵니까? 어느 집 담장에 얼굴을 불쑥 내민 한 송이 꽃일 수도 있고, 무뚝뚝해 보이는 전봇대에 붙은 포스터일 수도 있습니다. 혹은 내가 벗어 놓은 장화 한 짝일 수도 있습니다. 그 순간 그 사물을 보고 멈추어 섭니다. 그리고 어느 부분이 아름다웠는지 생각해 봅니다. 그리고 핸드폰으로 사진을 찍어 봅니다. 어느 각도에서, 어느 높이에서 이 사물을 찍을 때, 내가 발견한 그 사물의 아름다움이 그대로 전해집니까? 그리고 그 아름다움은 내게 어떤 느낌을 주는지 생각해 봅니다.

저녁에는 하루를 돌아봅니다. 찍어 놓은 사진들을 보면서, 이 아름다움이라는 선물은 나에게 무엇을 의미하는지 생각해 봅니다. 그것은 내가 잃어버린 것, 혹은 시간에 대한 그리움일 수 있고, 어떤 기대, 희망, 그리고 추억일 수도 있습니다. 그 아름다움 속에 깃든 의미들을 노트에 기록합니다. 그리고 예기치 못하게 만난 아름다운 것들은 무엇이 있는지, 그것들은 나에게 어떤 기쁨을 주었는지도 생각해 보고 노트에 적어 봅니다.

7일째에는 한 주간 만났던 아름다운 사물들을 하나하나 되돌아 봅니다. 내가 적어 놓은 노트도 다시 한 번 찬찬히 훑어봅니다. 이제 어떤 느낌이 드십니까? 세상의 아름다움과 사물의 아

름다움은 내게 어떤 감동을 줍니까? 침묵 속에서 세상의 아름다
움이 주는 느낌에 머뭅니다。

둘째 주: 생명 있는 것들의 아름다움 속으로

이 주간에는 내 주위의 살아 있는 것들을 관심 있게 바라봅니다. 내가 살고 있는 이 세상에 나처럼 살아서 움직이는 것들은 어떤 것이 있는지 살펴보고, 그들이 가진 고유한 아름다움을 찾아봅니다. 새로운 것들이 들어오지 않고, 오직 나의 반려동물만 보인다면, 한 주 동안 그 반려동물의 아름다움을 찾아보아도 좋습니다. 거리에서 만나는 비둘기의 깃털 색깔, 보송보송한 하얀 가슴 털의 느낌을 관찰할 수도 있고, 길에서 만난 강아지나 고양이의 아름다움일 수도 있습니다. 미루나무 꼭대기에 올라가 해바라기를 하는 오리의 고고한 아름다움을 훔쳐 볼 수도 있고, 까마귀의 윤기 흐르는 까만 깃털일 수도 있습니다. 어쩌면 생쥐의 순수한 눈동자가 아름다울 수도 있습니다. 나의 선입견을 모두 내려놓고, 그저 살아있는 것들의 아름다움을 발견하고 멈추는 순간에는 "너 참 아름답구나"라고 이야기해 주십시오. 그리고 내가 그런 이야기를 해 줄 때, 어떤 느낌인지를 생각해 봅니다.

그리고 저녁에는 오늘 하루 동안 만난 아름다운 생물들을 생각해 봅니다. 어떤 동작, 모습이 내게 아름답게 다가왔는지, 그것들은 내게 어떤 의미가 있을지 생각해 보고 하나하나 적어 봅니다. 답을 찾지 못해도 괜찮습니다. 의문 자체가 내 영혼을 풍부하게 하기 때문입니다.

7일째에는 한 주 동안의 기록을 읽어보고, 그들의 아름다움으로부터 무엇을 배웠는지 생각해 봅니다. 그리고 다시 한 번, 내가 만난 아름다운 것들 하나하나에게 아름답다고 이야기해 줍니다。

셋째 주: 아름다운 사람들 속에서

이번 주는 아름다운 사람들을 만나는 작업을 해보기로 합니다. 여기서는 하루하루 만나보면 좋을 아름다운 사람들을 소개합니다. 순서는 바꾸어도 좋고, 또 우리가 두 주간 살아 보았듯이, 그저 우연히 마주치는 아름다운 사람들을 만나는 순간을 마음속에서 연장하고 음미해 보아도 좋을 것입니다。

첫째 날

아침에 일어나면, 오늘 나는 아름다운 사람들을 만나고 또 그 아름다움에 머물 거라고 결심합니다. 하루를 보내면서 아름다운 사람을 보는 순간을 알아차리고 가능하면 그 순간에 머물러 봅니다. 그 사람은 누구였고, 어떤 상황에서 그 사람이 아름답게 느껴졌습니까? 우연히 길에서 스쳐 지나간 사람일 수도 있고, 이웃일 수도 있고, 직장 동료일 수도 있습니다. 그저 건넨 친절한 인사. 혹은 싱그러운 웃음일 수도 있겠고, 명랑한 걸음걸이일 수도 있습니다. 세련된 옷차림일 수도 있고, 화가 나는 상황에서도 화 내지 않는 그 사람의 넓은 인품일 수도 있습니다.

하루를 마감하는 저녁, 오늘 하루 만난 아름다운 사람들을 한 사람 한 사람 음미하면서, 그 사람들에게 축

복을 보냅니다. 그리고 그들의 아름다움을 통해 내가
배운 것은 무엇인지를 적어 봅니다.

둘째 날

내가 살면서 가장 아름다운 사람이라고 기억하는 사람
은 누구입니까? 그 사람을 만났을 때, 그 사람은 어떤
상황에 있었고, 어떤 점이 아름다웠습니까?

또 그 아름다운 사람을 만났을 때, 나는 어떤 상황이
었고, 그의 아름다움은 내게 어떤 영향을 주었습니까?
지금의 내게 혹은 내 삶에 그의 아름다움이 반영되어
있습니까?

셋째 날

내가 만난 영화, 소설, 동화의 캐릭터 중 가장 아름다운
사람은 누구입니까? 왜 그 사람이 아름답다고 생각합니
까? 그 캐릭터를 알게 되었을 때 나는 어떤 상황이었습
니까? 그리고 그는 내 내면에 어떤 영향을 주었습니까?
당신에게 그는 여전히 아름답습니까? 지금 그를 만난다
면, 무슨 이야기를 해주고 싶습니까?

넷째 날

내가 가장 아름다웠던 시간으로 돌아간다면 그때는 언
제입니까? 그때의 내가 왜 아름답습니까? 그때 나는 어
떤 상황이었습니까? 그때 당신의 아름다움을 한 번 기

술해 보십시오. 그리고 가장 아름다웠던 순간의 나를
축복해 주십시오.

다섯째 날

한때는 아름다웠고, 지금은 아름답지 못한 사람을 한
사람 생각해 봅니다. 그때 무엇이 그 사람을 그토록 아
름답게 했는지, 또 지금은 왜 그 사람이 아름답지 않은
지 생각해 봅니다. 혹시 내가 그 사람에게 어떤 아름다
움을 강요하거나 기대하고 있었던 건 아닌지, 그 사람
은 이제 다른 삶의 단계에 들어서 있기 때문인지, 또 내
가 아는 아름다움이 아니더라도, 그 사람은 다른 아름
다움이 있지는 않을지 등등을 생각해 봅니다. 한때는
아름다웠고, 지금은 내게 아름답지 못한 그 사람들에게
축복과 사랑의 말을 전하십시오. 설사 그 축복의 말을
전달하지 못할지라도, 나의 추억과 어제가 담긴 아름다
움에게 축복하세요.

여섯째 날

오늘은 고유한 빛과 색으로 아름다운 나를 만나는 날입
니다. 자신의 사진이나 거울을 가져다 놓습니다. 혹시
그림에 재능이 있으시다면, 지금 내 눈에 보이는 나 자
신의 모습을 크로키로 그려 보세요. 많은 화가들은 자
화상을 그렸는데, 내면의 눈으로 자기를 보는 작업이었
을 거란 생각을 합니다. 자, 내 눈 앞에 선 나의 모습을

찬찬히 들여다보세요. 늙어 가는 나의 모습을 사랑스럽게 바라보세요. 얼굴의 주름과 흰 머리, 그리고 늘어지고 처진 피부를 있는 그대로 바라보십시오. 그리고 수고했다고 이야기해 주십시오. 아름답다고 이야기해 주십시오. 나의 주름들은 내 삶의 역사이고, 기록이니까요. 어려웠던 순간도 있었고, 슬픈 순간들도 있었지만, 그래도 이렇게 내 앞에 선 나에게, "당신은, 그리고 당신의 삶은 아름답습니다"라고 속삭여 주십시오.

일곱째 날

거리에 나가서 아름답게 물든 나뭇잎을 한 장 줍습니다. 그리고 가만히 들여다봅니다. 아무리 아름다운 나뭇잎을 골라도 어딘가 한 곳은 부족함이 있기 마련입니다. 벌레가 먹은 곳이 있을 수도 있고, 약간 비뚤어진 부분도 있을 수 있습니다. 어쩌면, 이런 부족함으로 이 나뭇잎은 고유한 아름다움을 지닐 수 있는지 모릅니다. 이제 내가 고른 나뭇잎을 손바닥에 올려놓고, 그 나뭇잎의 봄, 여름, 그리고 가을을 상상해 보세요. 시간은 흐르고 있고, 나는 누군가의 역사를 만져보고 있습니다. 이젠 나의 생을 이 잎에 옮겨 놓는다고 상상합니다. 나의 역사를 이곳에 옮겨 놓고, 만져 봅니다. 따스하게 그리고 정답게… 아름답지 않은 부분이 나를 아름답게 할 것입니다. 우리의 여정은 계속 되니까 그렇습니다.

그리고 이 나뭇잎을 노트에 끼워 놓습니다.

넷째 주: 그림자와 친해지기

빛이 정다워지고 햇살이 부드러워지는 10월의 마지막 주에는 나와 사물의 그림자와 친해지는 한 주간을 살아 보기로 합니다. 어느 10월의 오후, 산책을 하던 나는 나의 그림자를 본 적이 있습니다. 그림자로 본 나는 어른이 아니라 아주 작은 꼬마 아이였습니다. 누가 진짜 나인지 잘 모릅니다. 하지만, 내가 그림자와 친해질수록, 생은 마치 잘 익은 와인처럼, 어둠을 힘껏 끌어안은 대가로 풍부함을 안겨 줄 것입니다. 내가 모르는 나에게 최소한 친절해질 때, 내가 나를 모른 체하는 어리석음으로부터 멀어질 수 있으리라 믿습니다. 거리를 걷거나, 햇빛을 등에 받고 가만히 앉아 나의 그림자를 보고 있으면, 내게 정답게 말을 걸어보기도 하고, 내가 몰랐던 외로움을 만나기도 합니다. 나무의 그림자는 나그네에게 서늘한 안식을 줍니다.

첫째 날

매일 산책을 하면서 그림자를 봅니다. 어떤 그림자를 만납니까? 무엇을 발견했습니까? 누구의 그림자가 가장 아름답습니까? 멋진 그림자를 보고 거기 머무릅니다. 저녁에 그림자가 모두 잠들어 버린 시간, 나는 어떤 그림자를 보았는지, 어떤 것을 느꼈는지 적어 봅니다.

둘째 날

산책하면서 한 가지 사물을 선택합니다. 그것의 그림자
는 어떻게 생겼는지, 실제의 사물과 닮은 점은 무엇인지,
또 다른 점이 무엇인지를 살펴봅니다. 시든 꽃의 그림자
는 싱싱하게 보일 수 있습니다. 빛은 그림자의 다른 이
름이기 때문입니다. 그림자를 보면서 이런 저런 대화를
해 봅니다. 그리고 그 대화를 노트에 적어 봅니다.

셋째 날

마루나 공원의 벤치에 앉아서, 혹은 가로수에 기대어
서서 나의 그림자를 바라봅니다. 그림자를 사진으로 찍
어 봅니다. 나는 나의 그림자를 보면서 어떤 느낌이 듭
니까? 그림자는 색깔이 없지만, 그 안에 어쩌면 모든 색
을 담고 있는지도 모릅니다. 자신의 그림자와 이야기를
나누어 보세요. 그리고 저녁에 그 대화를 기억하면서,
노트에 정리합니다.

넷째 날

내가 살면서 가장 외로웠던 순간을 떠올려 봅니다. 어
떤 광경이 떠오릅니까? 무슨 일이 있었습니까? 그때
내 주위에 어떤 사물이 있습니까? 어떤 색깔, 냄새가
기억납니까? 지금 그 순간을 돌아볼 때, 어떤 느낌이
듭니까? 지금의 내 안에 그 순간은 어떤 그림자로 남았
습니까?

다섯째 날

내 영혼의 지도를 한 번 그려 봅니다. 내가 잘 드러내고 싶지 않은 사실, 나의 성격, 그리고 수치스러운 경험들은 어떤 것이 있습니까? 그런 부분들을 한번 적어 보십시오. 그것은 어릴 때의 기억일 수도 있고, 내가 받아들이고 싶지 않은 나일 수도 있습니다. 그러나 그 그림자는 그늘을 드리운 가로수의 커다랗고 동그란 그림자처럼, 다른 많은 사람을 쉬게 할 수도 있습니다. 그러니 최소한 "나의 그림자야 안녕!" 하고 다정한 인사를 건네기로 합니다.

여섯째 날

그림자에 대한 한 편의 시로 렉시오 디비나*Lectio Divina*를 해 볼 것입니다. 우리가 한 주 동안 살펴본 그림자란 결국 우리 여정의 길벗이란 생각을 하게 됩니다. 그림자를 품에 안을 때, 나는 나를 더 이상 외롭거나 고독하게 만들지 않을 것입니다. 누군가가 나를 외로움에서 해방시켜 주기를 기다리지 않고, 우리의 그림자에 귀를 기울여 볼 것입니다. 이번 주는 시인 김내식의 〈그림자에게 길을 묻다〉를 텍스트로 정했습니다.

그림자에게 길을 묻다

삶에 대해서 나는
묻고 또 묻는다
어떻게 사는 삶이 참된 삶인지
수많은 현인들이 그 방법을 제시하나
시간과 장소에 따라
각자에게 주어진
여건과 환경이 다르기에
진정한 나의 길은 내가 찾을 수밖에
길 위에 이정표가 또 다른 길을 가리키어
세상의 모든 길은
길에서 길을 묻다 결국
내 안의 길로 이어지느니
거기서 나의 길
찾을 수밖에
내가 지금까지 살아온 삶은
나를 위한 삶이기보다
남에게 보이기 위한 것이었으니
이제는 텅 빈
나의 문에 이르기 위해
홀로 나를 따르는
내 그림자에게 길을 물어
진정한 나의 존재
만나야 하리

① 먼저 시를 주의 깊게 두번 읽습니다. 소리를 내거나 혹은 침묵 중에 천천히 읽습니다.

② 가장 눈에 들어오는 구절은 무엇입니까? 그 구절을 소리 내어 세 번 읽습니다.

③ 다시 한 번 시를 읽습니다. 그리고 내가 선택한 이 구절을 통해 떠오르는 느낌 혹은 생각에 머뭅니다. 무엇이 떠오릅니까? 어떤 기억 혹은 사람입니까? 아니면, 이번 주에 실천한 그림자 명상에 대한 이미지입니까? 그 어떤 것이어도 좋습니다. 그 생각에 머문 후 노트에 그 생각을 적습니다.

④ 다시 한 번 전체 텍스트, 즉 이 시를 천천히 한 번 더 읽어봅니다. 그리고 전체 시의 맥락에서, 나에게 다가온 이 구절은 무슨 의미일지를 생각해 봅니다. 일주일 동안 했던 그림자 명상과 어떤 관계가 있을지 생각해 봅니다. 그리고 이제 내 삶의 자리에서 이 구절이 던지는 의미를 생각해 보고 노트에 적습니다.

⑤ 마지막으로 편안하게 이 시를 다시 한 번 천천히 읽고, 이 시의 멋과 맛 속에 머무릅니다.

일곱째 날

한 주간 적어놓은 명상 노트를 천천히 읽어 봅니다. 내가 아직 모르는 나를 찾아가는 내적 여정을 감사하는 마음으로 아름다운 10월을 마무리합니다.

11월

하루 종일 뚝뚝 떨어지는 낙엽만 바라보아도 하루가 깊은 밤으로 달아나는 11월입니다. 아무것도 남지 않았다고, 'November'라고 부르는 가을의 마지막 달에는 누구나 삶과 죽음, 그리고 영원을 사모하게 됩니다. 길어지는 가을 밤에, 홀로 가는 나그네의 삶을 생각하지 않을 수 없고, 그래서 언제가 될지 모르는 나의 마지막 여행길을 한 번 생각해 보는 그런 시간입니다.

대구 성직자 묘지에는 "오늘은 내 차례, 내일은 네 차례"라는 문구가 새겨져 있습니다. 죽음은 두렵기도 하지만, 모두가 떠나가는 길이라는 생각을 하면, 담담한 마음이 들기도 합니다. 사랑했던 사람들을 떠나 보내도, 우리 삶 속에 그들은 언제나 함께 있습니다. 세계 여러 나라의 문화를 보아도, 11월은 죽은 자를 기억하고, 삶과 죽음의 경계가 흐려지는 시간입니다. 이번 한 달은 죽음을 가까이 두고, 묵상하며, 살아보기로 합니다.

첫째 주: 산 자와 죽은 자의 친교 속으로 걸어가기

이번 주는 우리가 사랑했던, 혹은 우리를 사랑해 준, 이제는 이 세상을 떠난 분들께 물려받은 유산들을 감사하며 새겨 봅니다.

우선 책상이나 식탁 혹은 책장의 한 칸을 비워, 이미 세상을 떠난 사랑하는 사람들을 기억하는 제단을 마련해 봅니다. 멕시코 사람들은 가족이나 친구들을 기억하는 제단을 어느 집이나 마련하고, 그들이 좋아했던 음식을 올려놓아 주면서, 아직도 그들은 우리와 함께하고 있다는 것을 확인합니다. 가톨릭 교회에서는 위령의 달이라고 해서 죽은 자와의 친교 속에서, 하늘나라에서 평화와 안식을 누리기를 기도합니다. 이런 묵상과 기도들은 한 번뿐인 우리의 삶을 더욱 풍성히 살게 도와줍니다.

촛불을 켜고, 빈 공간에 그분의 사진을 올려놓습니다. 사진이 없다면, 그분이 나에게 나누어 준 삶의 지혜나 태도를 상징하는 물건을 올려놓습니다. 그리고 그분을 기억합니다. 그분이 좋아했던 노래는 무엇이었고, 어떤 음식을 좋아했는지, 그리고 생을 어떻게 꾸려 가셨는지, 그분의 가장 좋은 점은 어떤 것이었는지, 내가 살면서 닮고 싶은 부분은 무엇인지를 생각합니다. 그리고 평화를 누리시기를 기원합니다. 마지막으로 촛불을 끕니다.

이렇게 같은 방식으로 매일 다른 분을 기억할 수도 있고, 한 분을 매일 기억하면서, 한 주간을 지낼 수도 있습니다. 그분이 좋아할 만한 향초를 켜볼 수도 있고, 기억의 제대에 꽃이나 화분으로 장식을 해도 좋습니다.

둘째 주: 죽음 준비하기

많은 종교에서는 죽음을 묵상합니다. 죽음은 우리 안에 있고, 우리는 하루하루 죽음을 향해 가고 있기 때문입니다. 보람 있게 아름답게 살고 싶다면, 죽음을 묵상하는 것이 가장 좋은 방법입니다. 다 가지려고 웅크리고 욕심 부려 보지만, 죽음 앞에서 우리는 결국 아무것도 가진 것이 없음을 발견할 것입니다. 삶의 본질을 만나는 방법으로 이번 한 주는 나의 죽음을 준비하는 시간으로 살아 봅니다. 나에게 이제 남은 시간이 꼭 한 주 남았다고 상상합니다。

첫째 날

이제 나에게 딱 7일이라는 시간이 주어졌다면 무엇을 하고 싶습니까? 어디에서, 누구와 무엇을 마지막으로 하고 싶습니까? 물론 이 상상에서는 가는 시간은 계산하지 않아도 됩니다. 다섯 가지만 적어 보십시오. 이 작업은 내게 현재 가장 소중한 사람, 그리고 소중하게 생각하는 장소를 보여 줄 것입니다.

둘째 날

나의 장례식에 초대하고 싶은 사람들을 적어 봅니다. 조그만 장례식이면 좋겠습니까? 어디에서 장례식을 하고 싶습니까? 어떤 구절을 읽었으면 좋겠습니까? 어떤 노래를 부르면 좋겠습니까? 그리고 마지막으로 그들을 위한 선물을 준비한다면, 무엇을 주고 싶습니까?

셋째 날

내 인생의 마지막 편지를 써 봅니다. 이 편지는 사랑하는 사람에게 보내는 것이어도 좋고, 나 스스로에게 건네는 것이어도 좋습니다. 마지막으로 혹시 못다 한 고백이 있다면, 또 못다 한 축복의 말이 있다면, 그것은 어떤 말이 될까요?

넷째 날

모차르트의 〈레퀴엠〉을 듣습니다. 바람이 불 때마다 후드득 떨어지는 나뭇잎을 그려 보면서도 좋고, 찬비 내리는 어두운 거리를 상상하셔도 좋습니다. 아니면 귀에 이어폰을 꽂고, 11월의 스산한 거리를 이 음악을 들으면서 한 번 걸어 보세요. 그리고 나에게 어떤 느낌이 오는 지 적어 보십시오.

다섯째 날

오늘은 집안을 정리합니다. 내게 가장 소중한 물건들은 무엇이 있습니까? 그것을 누구에게 주고 싶습니까? 또 남에게 짐이 되지 않도록 처분해야 할 것은 어떤 물건들입니까? 그런 것들은 어떻게 하고 싶습니까? 태워 버리고 싶은 물건들은 어떤 것입니까? 죽음 전에 태워 버린다 해도, 꼭 다시 한 번 보고 싶은 물건(앨범, 일기 등등)을 꺼내 봅니다. 자, 이제 좀 마음이 가벼워졌습니까? 조금은 가벼워진 공간에 다시 삶이 찾아온다고 상상해 봅니다.

여섯째 날

부모님이나 친구가 잠들어 있는 묘지를 머리 속에 그려 봅니다. 그리고 내가 누워 있을 장소를 상상해 봅니다. 내 묘지를 찾아올 친구나 자녀들이 나를 느낄 수 있는 그런 묘비명은 무엇일지 적어봅니다. "오늘은 내 차례, 내일은 네 차례" 라는 말이 주는 지혜를 생각해 봅니다. 내가 천 년을 살 것처럼 집착하고 있는 것은 무엇이 있을까 생각해 보고, 노트에 적어 봅니다.

일곱째 날

첫째 날 적어 본 버킷리스트에서 가능한 사람 한 사람과 가능한 곳 한 군데를 정해서 방문해 봅니다. 어릴 적 다니던 초등학교 운동장일 수도 있고, 동네의 작은 예배당일 수도 있고, 내가 좋아하는 빵집일 수도 있겠습니다. 사랑하는 사람과 함께 동행하는 기쁨을 체험해 봅니다. 그리고 노트에 지금 여기, 가장 사랑하는 사람은 누구이고 오늘 누린 기쁨은 무엇이었는지 적어 봅니다.

셋째 주: 영원으로 걸어들어가기

이번 한 주간은 예술 작품을 가지고 렉시오 디비나를 합니다. 렉시오 디비나는 주로 성서나 책을 가지고 하지만, 영화나 음악, 예술 작품을 가지고도 할 수 있습니다. 예술 작품을 깊이 음미함으로써 그 작품 속에 깃든 영원함, 사랑, 아픔, 그리고 죽음의 뜻을 발견해 봅니다.

   작가의 작품 세계나 작품의 의미를 미리 공부할 필요는 없습니다. 오히려 타인의 지식은 내가 작품의 세계 속으로 들어가는 데 방해가 되기도 합니다. 그저 어떤 느낌이 드는지, 작품 속의 어떤 부분이 마음에 와 닿는지, 그리고 전체 분위기는 어떻게 느껴지는지 등을 자유롭게 살펴보면 됩니다.

   방법을 설명하면, 1. 선택한 작품을 천천히 감상합니다. 이 작품은 어떤 상황을 묘사하고 있는지, 어떤 계절인지, 또 어떤 색을 사용했는지, 나에게 어떤 느낌이 드는지 살펴봅니다. 2. 그림에서 가장 눈에 띄는 부분을 주의 깊게 살펴봅니다. 어떤 색으로 표현되어 있습니까? 어둡게 표현되어 있습니까, 아니면 환하게 표현되어 있습니까? 혹시 내 안에 비슷한 기억이 있는지, 어떤 생각이 드는지, 떠오르는 사람이 있는지 생각해 봅니다. 3. 작품 전체를 다시 한 번 감상하고, 내 눈에 들어왔던 부분을 다시 한 번 바라봅니다. 그리고 내 삶과 어떻게 연관이 되는지, 또 무슨 메시지가 있는지 생각해 봅니다. 그리고 이런 생각들을 노트에 정리합니다. 4. 이제 그런 생각들을 내려놓고, 작품 속으로 들어가 봅니다.

매일 자신이 좋아하는 그림이나 조각을 선택해서 할 수도 있고 매일 다른 작품을 선택할 수도 있습니다. 여기서는 예로 여섯 개의 작품을 소개합니다. 인터넷에 화가의 이름과 작품명을 입력하면, 쉽게 작품을 찾을 수 있습니다. 여기 실린 작품들은 병들고 가난하고, 또 슬픈 삶의 근원적 아픔, 희망, 꿈, 그리고 이런 인간적 조건을 받아안은 관조에 관한 작품들을 선정해 보았습니다.

첫째 날 : 앤드루 와이어스 Andrew Wyeth, 〈동상Frostbitten〉

왠지 고요할 것 같은 회색의 공간. 낡은 선반 위에는 말라 시들어 가는 과일이 네 개. 그 뒤로는 구겨진 것처럼 누추하고 오래된 벽이 보입니다. 세월의 흔적일지, 이젠 저만치 관심이 없어진 건지, 그렇게 오래된 부식의 흔적이 이 그림에서는 따스하게 보입니다. 가난한 사람들이 궁벽하게 살았을 것 같은 이 보잘것없는 공간의 매우 평범한 유리창 너머로 보이는 시들어 가는 잡초… 그런데, 왜 이렇게 무너져 내리는, 녹슬고, 구겨진 삶의 흔적은 여전히 아름다울까요? 이 그림의 어느 부분이 내 눈에 들어옵니까? 어떤 색과 어떤 질감이 내게 가장 눈에 띕니까?

다시, 그림을 전체적으로 감상하면서, 다시 한 번 내눈에 들어온 부분을 주시합니다. 이 부분은 내게 어떤 의미가 있는 것 같습니까? 내 삶에 대해 무엇이라고 이야기하고 있습니까? 떠오르는 느낌들을 적어 봅니다.

둘째 날 : 에드바르 뭉크, 〈아픈 아이〉

인생은 참 슬픈 거란 생각이 듭니다. 뭉크는 20대에 쓴 일기에, "쉬고 느끼고 괴로워하고 사랑하는 사람, 즉 살아 있는 사람들을 그릴 것이다"라고 썼습니다. 삶과 죽음의 경계에 있는 사람은 가장 절실하게 살아 있는 사람입니다. 그 사람을 돌보는 사람 또한 절절하게 살아 있는 사람입니다. 이 그림의 이야기를 한번 생각해 봅니다. 아픈 소녀가 자리에서 일어나 있고, 그 소녀의 손을 잡은 여인은 고개를 숙였습니다. 물병도 보이고, 오른쪽에는 아주 조금 남은 초가 보입니다. 오른쪽에는 짙은 색깔의 커튼이 내려져 있고, 소녀를 지지하는 베개는 하얗게 빛납니다. 이 그림의 이야기 속에 밴 정서는 무엇입니까? 어느 부분에 눈길이 갑니까? 내가 가진 어떤 기억을 불러일으킵니까? 그 기억이나 생각에 머뭅니다.

그리고 다시 한 번 전체 그림을 감상합니다. 다시 나의 눈길이 간 부분에 머물면서, 이 이미지가 내 삶에 주는 의미가 있나 생각해 보고, 노트에 정리해 봅니다.

셋째 날 : 클로드 모네, 〈수양버들〉

제1차 세계대전이 한창이던 어느 시간에, 멀리서 전쟁

의 포화소리가 돌려오는데, 늙은 화가는 아들의 전사 소식을 들었습니다. 그는 깊은 상실감과 슬픔을 이 그림에 풀어 놓은 것 같습니다. 주된 색깔이 보라색이어서 왠지 더욱 슬픈 느낌이 드는 이 나무는 마치 춤을 추는 것도 같고 흐느껴 우는 것도 같습니다. (모네의 〈수양버들〉은 연작으로 여러 작품이 있습니다. 그 중 어떤 작품을 택하셔도 좋습니다. 제가 좋아하는 작품은 프랑스의 마르모탕-모네 미술관에 있는 〈수양버들 6〉입니다.) 아니면 어떤 새로운 움직임이 느껴지기도 합니다. 이 그림에서 가장 눈에 띄는 부분은 어디입니까? 왜 이 부분이 눈에 들어 왔을까요? 혹시 연상되는 이미지나 기억들이 있습니까? 그 이미지나 기억 속에 잠시 머물러 봅니다. 그리고 다시 한 번 전체 그림을 바라봅니다. 이 그림은 내게 무엇을 이야기하는 것 같습니까? 어떤 주제가 연상되십니까? 나에게 떠오른 생각들을 정리해 봅니다.

넷째 날 : 반 고흐, 〈까마귀가 나는 밀밭〉

까마귀가 날고 있는 밀밭 가운데로 초록색 길이 흐릅니다. 그 초록색은 검붉은 빛깔의 흙과 대조를 이루며 끝 없이 지평선을 향해 사라집니다. 하늘은 아직 푸르지만 어둠이 내리기 시작할 것만 같습니다. 고흐가 마지막으로 남긴 작품이라고 하는데 생명력이 가득 넘쳐 보이는 초록색 길은 마치 흐르는 물처럼 보입니다. 넉넉하

고 풍성한 가을 들판인 듯한데, 해도 흐릿해지고, 벌써
사람들의 모습은 보이지 않고, 까마귀떼가 어디론가 날
아가는 시간, 그래서 외로움이 묻어나는 시간입니다. 마
치 고흐의 삶처럼. 그럼에도 불구하고 이 그림에서 물
씬 느껴지는 어떤 힘은 그림에 대한, 삶에 대한 그의 열
정에서 나오는 것 같습니다.

이 그림에서 가장 눈에 들어오는 부분은 어디입니까?
저 공간에 있다면, 어떤 냄새가 날 것 같습니까? 또 어
떤 소리가 날 것 같습니까? 지금 이 그림 속에 나를 놓
아 봅니다. 나는 무슨 생각을 하고 있을 것 같습니까?
전해오는 느낌을 정리해 봅니다.

다섯째 날 : 조르주 드 라 투르George de La Tour, 〈참회하는 마리아 막달레나〉

고요에 잠긴 영혼은 누구라도 아름답습니다. 아무리 아
름다움이 보는 자의 시선에 달려 있다고 해도, 고즈넉
하게 등불을 켜고 사색에 잠긴 여성은 아름답습니다.
독서를 다 마친 듯, 혹은 책 너머 어떤 진실을 마주하고
자 함인지, 책들은 다 덮여 있습니다. 그리고 그녀의 아
름다운 다리 위에는 죽음, 혹은 찰나를 상징하는 해골
이 놓여 있고, 그녀는 마치 친한 친구인 듯 그 해골을
만지고 있습니다. 영원은 마치 죽음과 현재 사이에서,
유한을 인식할 때, 그 임계 공간에서 시작된다는 것을
알려주는 것 같습니다. 빛과 어둠, 금욕과 감각이 함께

하는 우리의 삶을 보여주는 것 같기도 합니다. 그래서
참 인간적이라고 느껴지는 그림입니다. 조르주 드 라
투르는 참회하는 마리아 막달레나를 주제로 비슷하면
서도 다른 네 개의 작품을 그렸는데, 저는 여기서 미국
카운티 미술관에 소장된 작품을 소개했습니다. 물론 다
른 작품을 선택해서 감상하셔도 좋을 것입니다.

이 그림에서 가장 눈이 가는 부분은 어느 곳입니까?
전체적으로 어떤 느낌이 느껴집니까? 그녀의 몸에서 빛
을 받은 부분은 어디이고, 어둠에 잠긴 부분은 어디입
니까? 어둠은 어디에서 시작되고, 빛은 어디에서 시작
됩니까? 그녀는 어디를 향하고 있습니까? 이 그림을 보
면서 어떤 생각이 듭니까? 편태 도구(밧줄로 된 채찍.
금욕적 생활을 상징합니다)와 부른 배, 긴 머리와 어깨
를 내 놓은 상의는 모두 대조를 이룹니다. 나와 가장 닮
은 부분이 있다면 어느 부분입니까? 내 삶에 던져주는
메시지는 무엇일 것 같습니까?

여섯째 날 : 이중섭, 〈도원〉

이 세상에 있지 않은 낙원, 우리가 죽어서 도달하는 곳,
혹은 우리가 잃어버린 곳을 도원桃原이라고 부릅니다.
우리의 모든 희망과 꿈이 실현되는 곳, 그래서 우리의
눈물이 위로받고, 슬픔이 기쁨이 되는 곳입니다. 이 작
품 속에는 그가 좋아하던 도화꽃이 만발하고, 복숭아가
달려 있고, 잎은 푸르르며, 행복한 아이들의 노는 웃음

소리가 들릴 듯합니다. 그리고 노란 하늘도 보입니다.

　제주도 서귀포 그의 집, 조그만 방에는 이런 글귀가
보입니다.

높고 뚜렷하고
참된 숨결
나려 나려 이제 여기에
고웁게 나려
두북 두북 쌓이고 철철 넘치소서
삶은 외로운 것
서글프고 그리운 것
아름답도다 여기에
맑게 두 눈 열어 가슴 환히
헤치다.

이 그림에서는 어떤 느낌이 듭니까? 가장 마음에 다가
오는 부분이 있다면 어떤 부분입니까? 왜 이 부분이 나
에게 다가왔다고 생각합니까?

　그림을 다시 천천히 감상하고, 나에게 도원은 어디이
며, 이 그림의 도원은 나에게 어떤 의미가 있는지 생각
해 봅니다.

일곱째 날

이 주간 동안 렉시오 디비나로 만났던 그림들을 감상합니다.

내 마음에 가장 드는 그림을 한 점 골라, 다시 한 번 렉시오 디비나를 해 봅니다.

그리고 처음 했을 때와 비교해 봅니다. 새롭게 찾은 더 깊은 메시지를 찾아봅니다.

주

1 릴케, 《형상시집》(구기성 옮김, 민음사, 2001)

2 Naomi Shihab Nye, "Famous", *Words Under the Words: Selected Poems by Naomi Shihab Nye* (1995, Far Corner Books)

가을 마음 여행

(《내가 사랑한 계절들》 초판 한정 증정본)

발행일	2020년 8월 30일
지은이	박정은
발행인	임혜진
디자인	소요 이경란
발행처	옐로브릭
등록	제2014-000007호(2014년 2월 6일)
주소	서울시 용산구 독서당로 6길 16, 101-402 (14410)
전화	(02) 749-5388
팩스	(02) 749-5344
홈페이지	www.yellowbrickbooks.com

넷째 주: 영원을 갈망하기

가을이 준 축복을 명상하는 시간을 갈무리하는 주간입니다. 이삭을 줍는 마음으로, 내가 적어 놓은 노트들을 시간 나는 대로 천천히 읽어 봅니다. 하루에 두 주씩, 내가 마주한 삶의 조각들, 또 내가 반추해 낸 삶의 의미들을 천천히 읽어 봅니다.

밑줄도 그어 보고, 색깔도 칠해 봅니다. 그리고 여백에 새로운 생각들도 다시 덧붙여 봅니다.

마지막 7일째에는 이제는 익숙해진 내 마음의 나무 곁에 가서, 나의 숨소리를 듣습니다. 부족하면 부족한 대로, 만족하면 만족한 대로, 스스로에게 감사하십시오.

나무를 한 번 만져 보고, 나무가 내게 주는 말을 들어보십시오. 그리고 이제 또 새롭게 떠나는 나의 여정을 축복해 주십시오。